Colusa County Free Library
3 0738 00028 7267

D0606407

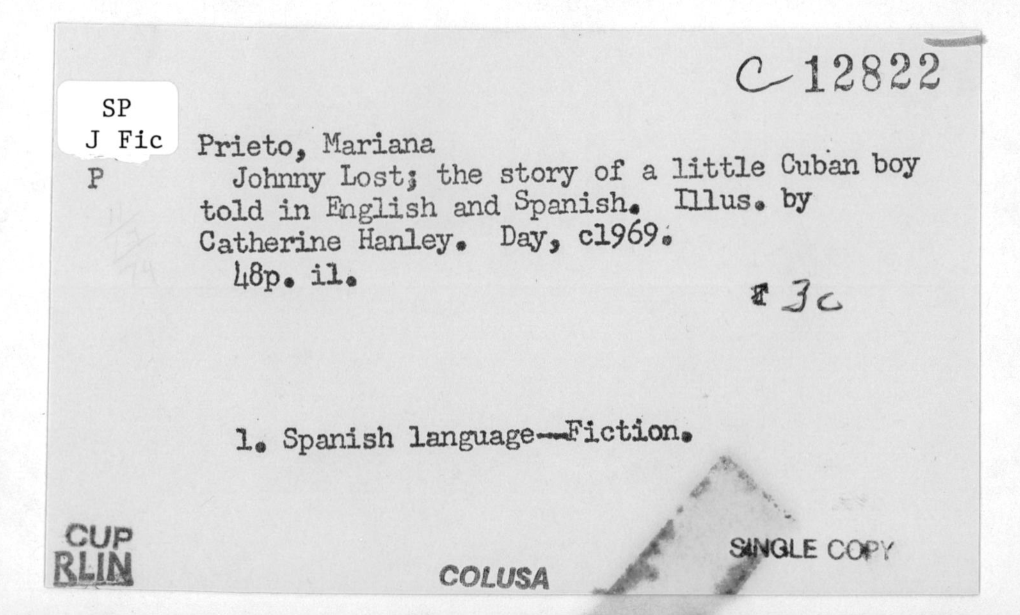

JOHNNY LOST

(The story of a little Cuban boy told in English and Spanish)

by Mariana Prieto

ILLUSTRATIONS BY CATHERINE HANLEY

THE JOHN DAY COMPANY NEW YORK

Library of Congress Catalogue Card Number: 69-10490
PRINTED IN THE UNITED STATES OF AMERICA

Johnny Lost

Juanito Perdido

PAA
PAA

Johnny Lost was always living up to his name. He even got lost on Thanksgiving Day at the parade!

But his lostness went far back before that. He got lost at the airport in Cuba, as he waited for the plane in the airlift to bring him to the United States.

"Juanito Perdido," his mother had said, meaning in Spanish, Johnny Lost.

Juanito Perdido le hacía honor a su nombre. Él hasta se perdió el Día de dar Gracias en el desfile.

Pero él se había perdido muchas veces antes. Se perdió en el aeropuerto en Cuba mientras esperaba el avión que lo traería a los Estados Unidos.

– Juanito Perdido, – su mamá había dicho significando en español, «Johnny Lost».

He almost got lost again when the plane landed at Miami, Florida. They were in Freedom House waiting to be sent to the North. His mother spoke some English, but he spoke none. She kept telling him to stay close to her. But Johnny liked to explore. He liked to look around things. He liked to look behind things.

That was how he got lost at the parade.

He and his mother and father were sent to a big city in the North. It was Johnny's first time to see snow. In all his seven years he had never seen snow.

Estuvo a punto de perderse otra vez cuando el avión aterrizó en Miami, Florida. Estaban en la "Casa de la Libertad" esperando ser trasladados al norte, Su mamá hablaba aglo en inglés, pero no él.

Su mamá seguía diciéndole que permaneciera cerca de ella. Pero a Juanito le gustaba explorar. A él le gustaba mirar las cosas en derredor. Le gustaba mirar con mucho interés.

Así fué cómo se perdió en el desfile.

Él y su mamá y su papá fueron enviados a una gran ciudad del norte. Fué su primera oportunidad de ver nieve. En todos sus siete años de edad nunca había visto nieve.

Two days after they arrived was Thanksgiving.

"We will go to the parade," his mother said, "and we will be happy and we will forget the past."

And so they went. They wore the warm clothing that the kind people at Freedom House had given them before they left Miami.

Johnny liked his overcoat and bright-red mittens. It was the first time he had ever worn mittens.

Dos días después de su llegada fué el Día de dar Gracias.

— Nosotros veremos la parada — su mamá dijo — y seremos felices y olvidaremos el pasado.

Y así se fueron. Ellos se pusieron ropa abrigada que la gente amable de la "Casa de la Libertad" les había dado antes de salir de Miami.

A Juanito le gustó su sobretodo y sus guantes rojos. Era la primera vez que usaba guantes.

People filled the streets like swarms of excited ants. Johnny and his mother found a good spot on the sidewalk.

"Here, sit down," his mother suggested, and he sat down on the curb.

La gente llenó las calles como si fueran hormigas excitadas. Juanito y su mamá encontraron un buen sitio en la acera.

– Siéntate aquí – Su mamá indicó, y él se sentó en la orilla de la acera.

People were crossing the street. Mothers were pushing baby carriages with sleeping or crying babies inside. People began to shove from behind, and Johnny had to stand up. Police sirens shrieked. They announced the beginning of the parade. Motorcycle policemen led the marchers.

La gente estaba cruzando la calle. Las mamás empujaban los cochecitos con los bebés adentro que dormían o lloraban. La multitud empezó a empujar por detrás y Juanito tuvo que ponerse de pie. Las sirenas de la policía resonaban. Anunciaban el comienzo de la parada. La policía de motocicleta encabezaba el desfile.

Flag-bearers came holding their banners high. A band was next. The big horns seemed to Johnny like the open mouths of monsters. A girl drum majorette, wearing a hat with a tall plume, stepped high. Bright colors blurred before his eyes.

Los que llevaban las banderas aparecieron con sus insignias en alto. Una banda los seguía. Las trompetas grandes le parecieron a Juanito como bocas grandes de monstruos. La muchacha Tambor mayor con un sombrero, con una pluma larga, dió pasos precisos. Los colores brillantes turbanan sus ojos.

Girls twirling their silver canes pranced like horses in a circus he had seen.

A fire truck with red-nosed clowns hanging on the back went by, bells clanging.

Red, white, and blue, like the colors of the American flag, were everywhere.

Las muchachas guiando sus bastones plateados cabriolaban como caballos en un circo que él había visto.

Un carro de bomberos, con payasos de narices rojas, colgados detrás, pasó sonando las campanas.

El rojo, blanco y azul como los colores de la bandera americana, estaban en todas partes.

Women dressed as cowgirls from the West passed. They wore high boots and broad-brimmed hats.

Mujeres vestidas como vaqueras del oeste, pasaron. Llevaban botas altas y sombreros de alas anchas.

Drums beat hard as another band passed. Johnny, or Juanito, felt the beats in his stomach. It was a Negro band. Its members wore blue and gold uniforms, that shone like jewels against their dark skins.

Los tambores resonaron cuando pasó otra banda. Juanito o "Johnny," sintió los redobles en su estómago. Era una banda de negros. Sus miembros vestían uniformes en azul y oro, que brillaban como joyas contra su piel morena.

Big funny, laughing heads of women, like masks, with the thin, skinny legs of men peeping out below, walked by. The crowd roared with laughter.

Enormes y cómicas cabezas rientes de mujeres, como máscaras burlescas riendo, con las piernas flacas de hombres expuestas por abajo, pasaron. La multitud reía con estruendo.

An angel on a bicycle passed. A bear riding on a motor scooter followed.

Un ángel montado en bicicleta siguió. Un oso en una bicicleta motorizado pasó.

Balloons were let loose from a bright float. They were everywhere. Children and grown people alike scrambled to get some.

Johnny tried to catch one, but it got away. It drifted skyward like an escaping bright bird. He darted behind the float to catch it. But he could not.

Globos fueron soltados de una carroza brillante. Estaban en todas partes. Niños y mayores, a la vez, se confundieron para coger algunos.

Juanito trató de coger uno pero se le escapó. Este subió hacia el cielo como un pájaro brillante huyendo. Él se lanzó detrás de la carroza para cogerlo, pero no pudo.

He turned to speak to his mother. She was not behind him. He looked around. She was nowhere. The crowd seemed to have swallowed her up. He felt a moment of panic. Then he told himself she could not be far away, and he turned to watch the parade. She would get through the crowd to him, he felt sure.

Él se volvió para hablar con su mamá. Ella no estaba detrás de él. Él miró por todas partes. Ella no estaba en ninguna parte. La multitud parecía habérsela tragado. Él sintió un momento de pánico. Entonces se dijo a sí mismo que ella no podía estar lejos, y él se volvió para mirar el desfile. Ella atravesaría la multitud hacia él, él se aseguraba.

Music filled his ears. A truck came by with a pirate and a chest heaped high and overflowing with gold coins. He wondered if they were real. Why didn't all these people leap on the truck and try to grab some?

La música llenó sus oídos. Un camión pasó con un pirata y un cofre rebosado con monedas de oro. Él se preguntó si eran monedas de verdad. ¿ Por qué toda esta gente no saltaba al camión y no trataba de coger algunas?

Johnny was in wonderland. Then suddenly it all reminded him of a carnival parade that he had once seen in Havana when he was very young. He turned around, and his eyes darted about the crowd. He could not see his mother anywhere. All at once he realized that he was lost and in a strange country. He could not speak the language of the people around him.

Juanito estaba en una tierra de hadas. Entonces de repente todo le recordó un desfile de carnaval que había visto una vez en la Habana cuando era muy pequeño.

Él se viró y sus ojos pasaron por la muchedumbre. Él no podía ver a su mamá en ninguna parte. De pronto se dió cuenta de que estaba perdido y en un país extraño. Él no sabía hablar el idioma de la gente alrededor de él.

One time he had been lost in a tall sugarcane field in Cuba. He had wandered away from the *bohío* where his aunt lived. He remembered the feeling. The empty fright! His heart kept beating thump, thump, and there was a lump in his throat.

Una vez él se había perdido en un alto cañaveral en Cuba. Él se había desviado del "bohío" donde vivía su tía. Recordaba como se sintió. El miedo enorme. Su corazón seguía latiendo fuerte, fuerte y tenía un nudo en su garganta.

He felt like that now. Suddenly he knew that even with all these people around him, he was alone. He could not make his needs known. He could not tell them that he was lost. He did not know the word to say. He shivered.

His feet were like two blocks of ice. He wondered if he could lift them, and he wondered if children ever froze to death in this rich country. He had already seen some whose shoes were badly worn. He remembered his mother telling him, "We will be rich in the United States. There everyone has a fine house and a big car. There is much money everywhere."

Él se sentía así ahora. De repente él supo que aun con toda esta gente alrededor, él estaba solo. Él podía hacer entender sus problemas. Él no podía decirles que estaba perdido. Él no sabía la palabra que decir. Él se estremeció.

Sus pies eran como dos bloques de hielo. Él se preguntó si podía levantarlos, y se preguntó si los niños alguna vez se helaban a muerte en este rico país. Él ya había visto algunos con los zapatos bastante gastados. Él recordó lo que la madre le había dicho.

Seremos ricos en los Estados Unidos. Allá todos tienen una casa elegante y un carro grande. Allí hay mucho dinero en todas partes.

He thought about the dark, dirty red brick building where they were staying. They had to climb three flights of stairs and walk down a long gray hallway. It frightened him. There seemed to be no sun or warmth here.

Él pensó en el edificio obscuro de ladrillos rojos y sucios donde estaban viviendo. Ellos tenían que subir tres pisos de escalera y caminar por un largo pasillo grisoso. Le metía miedo. Parecía que no había sol ni calor aquí.

A gaily lighted float passed. There was sparkle and glitter everywhere. Maybe this was the wealth and beauty his mother had told him about. He began to jump first on one foot, then on the other, to try to get warm. He would not be a coward. He would not let himself freeze to death standing still here in the cold.

The biting wind licked his face. It stung his lips, and he began to tremble.

Una carroza con luces brillantes pasó. Había brillo y resplandor en todas partes. Quizás esto era la riqueza y belleza de que su mamá le había hablado. El empezó a brincar, primero con un pie, entonces con el otro, para tratar de calentarse. Él no sería cobarde. Él no se dejaría congelar a muerte permaneciendo inmóvil aquí en el frío.

El viento cortante lo sentía en su cara. Cortó sus labios y él empezó a temblar.

HAPPY THANKSGIVING

Suddenly a woman's voice spoke to him. She was leaning over his shoulder. Her tone was kindly. He could not make out the words she said. He realized they were English. She wore a trim blue uniform. A small cap sat jauntily on her dark hair. He gave a little start. He wondered if she were one of the militia. Perhaps she was sent to take him back to Cuba. He looked straight ahead and tried not to notice her.

De repente sintió la voz de una mujer. Ella estaba reclinándose sobre su hombro. Su tono era amable. Él no podiá entender las palabras que ella decía. Él comprendió que esta era inglés. Ella llevaba un uniforme azul bien ajustado. Ella tenía una gorrita graciosamente puesta sobre su cabello obscuro. Él se movió. Pensaba si ella era de la milicia, quizás fué mandada para llevarle a Cuba otra vez. Él miró hacia adelante y trató de no hacerle caso.

The parade had ended, and people were moving away. People were going home.

"I'm a policewoman." The lady smiled a friendly smile. "Are you all alone? Or lost? I've been watching you. Nobody seems to be with you."

Johnny shook his head. He could not understand.

There was a small boy at the woman's side. A little Negro girl in a gay plaid coat stood nearby. The woman turned to the small boy. He had dark hair and eyes like Johnny. His stocking cap was pulled down tight over his ears. She seemed to be asking him to help her. She nodded toward Johnny.

El desfile había terminado y la gente se marchaba. La gente se iba para casa.

— Soy una mujer policía — la mujer sonrió amablemente. — ¿ Estás completamente solo?. — ¿ O perdido?. — He estado observándote. — Parece que nadie está contigo — .

Juanito movió la cabeza. Él no podía entender.

Había un muchacho pequeño al lado de la mujer. Una negrita en un bonito abrigo a cuadros permanecía cerca. La mujer se tornó hacia el niño pequeño. Él tenía cabello y ojos obscuros como Juanito. Su gorrito de media estaba bien apretado sobre sus orejas. Ella parecía estarle pidiendo ayuda. Ella hizo una seña con la cabeza hacia Juanito.

The boy addressed Johnny. He asked, "*Perduto?*"

Johnny was startled. The boy wasn't speaking Spanish, but it was near enough for him to know what he said. He was asking him if he were lost.

"*Si, si,*" Johnny answered. "*Perdido.*"

"*Como ti chiami?*" the boy went on to ask.

"Juanito." Johnny told him his name.

"*Mi Gio,*" the boy explained. "*Italiano.*"

Italian was certainly easier to understand than English. Johnny felt better.

The boy told him with signs and simple words that the woman would take them to the police station. That their parents would probably come there.

El muchacho le habló a Juanito, él le preguntó. — ¿ Perduto?.

Juanito se alarmó. El niño no hablaba español pero era bastante parecido para entenderlo. Él estaba preguntándole si estaba perdido.

— Sí, sí — Juanito contestó. — Perdido — .

— ¿Como ti chiami? — El niño siguío preguntando.

— Juanito, — Juanito le dijo su nombre.

— Mi, Gio — el niño le explicó — "italiano" — .

El italiano era ciertamente más fácil de entender que el inglés. Juanito se sintió mejor.

El niño le dijo por señas y con palabras fáciles que la mujer los llevaría a la estación de policía. Que sus padres seguramente vendrían allí.

The nice woman had a thermos bottle of hot chocolate. She took it out of a big tote bag she carried. She gave each of the children a cup of the chocolate while they waited.

Drucella, the little girl, licked her lips and asked if she might have some more. The policewoman laughed and gave her another cup. Johnny rolled the chocolate on his tongue. It had been a long time since he had tasted chocolate in Cuba.

La amable mujer tenía un termo con chocolate caliente. Ella lo sacó de una gran bolsa que llevaba. Ella dió una taza de chocolate caliente a cada uno de los niños mientras ellos esperaban.

Drucella, la niña, limpió sus labios y preguntó si podía tener más. La mujer policía se rió y le dió otra taza. Juanito paladeó el chocolate en su lengua. Había pasado mucho tiempo desde que él habia tenido chocolate en Cuba.

At last a police car came. Johnny's heart almost jumped up through his throat it beat so hard. But Gio took his hand and said, "Okay, *sta bene*," in a reassuring way. The policewoman, like a kind mother hen, herded the children into the police car, and they all drove to the station.

When they were inside, there were more questions. Gio helped Johnny.

He did not know his address. He tried to tell them he was staying in a big house made of red brick. He kept saying, "*Ladrillo rojo.*" But he remembered there were many houses of faded red brick.

Al fin llegó un carro de la policía. El corazón de Juanito casi salió por su garganta, latió tan fuerte. Pero Gio le tomó su mano y dijo — O.K. sta bene — de una manera convincente. La mujer policía como una madre amorosa condujo a los niños al carro de la policía y todos se fueron a la estación.

Cuando ellos estaban adentro, les hicieron más preguntas. Gio ayudó a Juanito.

Él no sabía su dirección. Él trató de decirles que estaba viviendo en una casa grande de ladrillos rojos. Él siguió diciendo «ladrillos rojos».

Pero él recordó que había muchas casas de ladrillos rojos descoloridos.

The detective who greeted them told them all to sit down and wait. He would try to call Drucella's home. He would also try to locate the parents of the other two. Drucella could say her phone number. She said it over and over like a well-trained little parrot.

El detective que les dió la bienvenida les dijo a todos que se sentaran y esperaran. Él trató de comunicarse con la casa de Drucella. También trataba de localizar los padres de los otros dos. Drucella podía decir su número de teléfono. Ella lo repitió varias veces como una cotorrita bien enseñada.

As they sat on the stiff chairs, Johnny looked around him. There were solemn desks piled with papers, square dirty windows and, outside, darkness. He thought of Cuba.

Mientras se sentaban en las sillas rectas, Juanito observó alrededor de él. Había grandes escritorios amontonados con papeles. Sucias ventanas cuadradas, y afuera la obscuridad. Él pensó en Cuba.

Suddenly Gio broke into his thoughts. "I've got a worm in my pocket," he announced unexpectedly.

Johnny turned toward him, trying to understand.

"I don't believe it," said Drucella.

The boy put his hand in his pocket. He took out a glass tube with a cork in the end. He held it up in the air. There *was* a worm in it. A long, thin, live worm!

"Oh!" Drucella exclaimed. "Oh, I'm scared of worms."

"*Gusano.*" Johnny pointed and laughed. "*Gusano.*"

"Does that mean worm?" Drucella pointed to the tube and its wriggling inmate. "I can say it. *Gu-sa-no. Gu-sa-no.*" She repeated the word slowly. It sounded very slinky and wiggly like a worm, the way she said it.

De repente Gio interrumpió sus pensamientos.

— Tengo un gusano en el bolsillo — él anunció inesperadamente.

Juanito se viró hacia él tratando de entender.

— Yo no lo creo — dijo Drucella.

El niño puso su mano en su bolsillo. Él sacó un tubo de cristal tapado con un corcho. Él lo aguantó en el aire. Había un gusano adentro. ¡Un gusano largo, flaco y vivo¡.

— Oh — Drucella exclamó — Tengo miedo de los gusanos — .

— Gusano — Juanito apuntó y rió. — Gusano — .

— ¿ Eso quiere decir worm — ? Drucella apuntó al tubo y su huésped ondulante. — Yo puedo decirlo gu-sa-no, gusa-no. Ella repitió la palabra muy despacio. Sonaba tan resbaloso y ondulante como un gusano, la manera que ella lo dijo.

Gio took the cork from the tube.

"Close it up," Drucella begged. "He'll get out."

Johnny reached across her. *"Dámelo,"* he said, holding out his hand demandingly.

Gio gave him the tube. Johnny tilted it and let the worm slide out onto his hand. He had to do something to show them and himself that he was brave. He was not a coward. He could not say it, but he could perform an action to show it. He let the worm crawl slowly across his hand and up his arm.

Gio sacó el corcho del tubo.

— Ciérralo — Drucella le rogó. — El se escapará — .

Juanito se interpuso entre ella. — Dámelo —, él dijo, extendiendo su mano demandándolo.

Gio le dió el tubo. Juanito lo viró y dejó el gusano salir sobre su mano. Él tenía que hacer algo para demostrar a ellos y a sí mismo que él era valiente. Él no era cobarde. Él no lo podía decir, pero él podía hacer algo para mostrarlo. Él dejó el gusano deslizarse lentamente arriba de su mano y su brazo.

"Oh, ekk," Drucella screamed, "you're brave. You're not afraid of squirming worms." Her eyes filled with admiration. "Don't put that *gusano* on me."

Johnny laughed, "*Gusano largo.*" He pointed to the worm and for a while forgot that he was lost. At least he had shown this little girl that he was brave. If only with worms!

The detective, a big, solemn-faced man with horn-rimmed glasses, was coming toward them. Johnny quickly put the worm back into the tube and sealed it with the cork. He handed it to Gio.

¡ — Ay — ¡ gritó Drucella — tu eres valiente. No tienes miedo de gusanos serpenteando — sus ojos estaban llenos de admiración. — No pongas ese gusano sobre mí —.

Juanito se rió. — Big worm — él apuntó al gusano, y por un rato olvidó que estaba perdido. Al fin había enseñado a esta muchacha que él era valiente. ¡Si solamente con gusanos!.

El detective, un hombre grande de rostro solemne con lentes de carey venía hacia ellos. Juanito en seguido puso el gusano de nuevo en el tubo y lo tapó con el corcho. Él se lo dió a Gio.

"I've got your mother on the phone," the detective told Drucella. "She said she was just going to call us. You got lost last year." He frowned down at her. "Your mother said she knew the police would have you. She'll be down soon."

"And you, Gio, at least we have your name and address. Just sit tight. We will locate your parents. Now about this little Cuban boy. We'll keep him awhile. If no one comes for him, we will contact welfare. He can spend the night at welfare hall till we locate his folks, if we can't soon."

— Hablé con tu mamá por teléfono — el detective dijo a Drucella. — Ella dijo que estaba a punto de llamarnos. Tú te perdiste el año pasado también — . Él le frunció el ceño a ella. — Su mamá dijo que ella sabía que estaba con la policía. Ella vendrá pronto — .

— Y tú Gio, a lo ménos tenemos tu nombre y dirección. Espera. Nosotros localizaremos a tus padres. Ahora en cuanto a este cubanito. Lo mantendremos aquí por un rato. Si nadie viene por él, nosotros haremos contacto con el departamento de asistencia pública. Él puede pasar la noche bajo la custodia de asistencia pública hasta que encontremos su familia, si no es que la encontramos pronto.

Gio turned to try to explain to Johnny. Suddenly a pretty young woman was lead through the door by the policewoman.

"*Ah, mi hijo*, my Johnny," she cried, running to him. She hugged him. "You are found. Found!"

She turned to the policewoman. "I was so worried." She spoke with a pleasant Spanish accent. "I went up and down the street. Then it was so cold, I looked in all the stores. Maybe he has gone inside to get warm, I told myself."

"*Gracias, gracias,* thank you," she said over and over. "A policeman told me to come here when I told him about my lost Johnny."

Gio se viró para tratar de explicarle a Juanito. A la vez una bonita mujer era conducida a través de la puerta por la mujer policía.

— ¡ Ah! mi hijo, mi Juanito — ella gritó corriendo hacia él. Ella lo abrazó. — ¡ Tú has aparecido. Encontrado! — .

Ella se viró hacia la mujer policía. — Yo estaba tan angustiada — . Ella habló con un agradable acento español. — Yo fuí arriba y abajo de la calle. — Había tanto frío, yo miré en todas las tiendas. Quizás él había entrado para calentarse, yo supuse — .

— Thank you, thank you, gracias —, ella repetía. — Un policía me dijo que viniera aquí cuando le conté que mi Juanito se había perdido — .

Her words were interrupted. It was Gio's father and mother. They rushed into the room, followed by a policeman.

"*Ah, Gio mio.*" His mother hugged him as Johnny's mother had done, and his father patted him on the head. "Always go to the police," his father said.

"Yes." The policewoman nodded and smiled.

The policeman nodded and smiled.

The detective nodded and smiled.

Everyone was crying and laughing all at once.

Sus palabras fueron interrumpidas. Eran el padre y la madre de Gio. Corrieron al cuarto seguidos de un policía.

— ¡Ah! Gio mio — su mamá lo abrazó como había hecho la madre de Juanito, y su papá de tocó en la cabeza. — Siempre ve a la policía —, su papá dijo.

— Sí —, la mujer policía asintió y sonrió.

El policía asintió y sonrió.

El detective asintió y sonrió.

Todos estaban llorando y riendo a la vez.

Suddenly Drucella's mother came in following an officer.
"Oh, honey baby," she said, hugging Drucella. "You were lost, lost again."

De repente llegó la madre de Drucella siguiendo a un oficial.
— Oh dulce bebé — ella dijo abrazando a Drucella. — Tú te perdiste, perdida otra vez — .

Johnny understood the word. He had heard it often to-day.

"Me Johnny lost," he said pointing to himself. They all stopped crying and laughing and talking. They looked at him, and all at once everyone felt warm and happy. And Johnny knew that he had never really been alone.

Juanito entendió la palabra. Él la había oido frecuentemente hoy.

— Yo soy Juanito perdido — él dijo apuntando a sí mismo, todos dejaron de llorar y reir y hablar. Ellos lo miraron, y todos a una vez se sintieron confortables y felices. Y Juanito supo que él no había estado realmente solo.

Around him were all these wonderful people. Their color or size or nationality made no difference. The children were children like himself. They were his friends in this new country. He smiled as he blinked back tears.

"*Felicidades,*" his mother said to everyone.

"*Buona fortuna,*" Gio's mother and father said. "*Grazie, grazie.*"

"Good luck," Drucella's mother said to all in the little group. "Praise the Lord. Thank you, thank you."

It did not matter that they spoke different languages. Johnny knew that kindness needed no words. Because they smiled and wanted to help, he had understood. And because he needed them, they understood him.

Alrededor de él estaba toda esta gente amable. Su color o tamaño o nacionalidad no importaba. Los niños eran niños como él. Ellos eran sus amigos en este nuevo país. Él sonrió mientras contenía las lágrimas.

— Felicidades —, su mamá dijo a cada uno.

— Buona fortuna — dijeron la madre y padre de Gio. — Grazie, grazie — .

— Good luck —, dijo la madre de Drucella a todos en el grupo.

— Thank God. Gracias, gracias — .

No importaba que hablaran diferentes idiomas. Juanito sabía que la bondad no necesitaba palabras. Porque ellos se sonreían y querían ayudar, él había entendido. Y porque él los necesitaba, ellos le entendían.

He took his mother's hand and walked from the police station. He knew that he would never again feel alone or lost, and he wanted to change his nickname.

He didn't want to be called *Juanito Perdido,* Johnny Lost, anymore. He was Johnny found. He could say it in English. "Johnny found!" He said it over and over as he left the station!

Él cogió la mano de la mamá y salió de la estación de policía. Él sabía que más nunca se sentiría solo o perdido, y quería cambiar su sobrenombre.

Él no quería ser llamado "Johnny Lost," Juanito Perdido, nunca más. Él era Juanito Encontrado. Él podía decirlo en inglés "Johnny Found." ¡Él lo repetía una y otra vez cuando él salía de la estación!.

INFORMATIONAL NOTES

Freedom House is a place operated by the United States Department of Health, Education, and Welfare. When refugees arrive in Miami from Cuba, they are taken there. They stay until they are sent to relatives in other parts of the country. If they are sent to a cold place, they are given warm clothing.

A refugee is a person who leaves his own country and goes to another, when there is political unrest in his own.

A *bohío* is a little house or hut with a roof made of thatched or woven palm fronds. In some parts of Latin America these houses are also called *chozas.*

Felicidades is a greeting; it means success or happiness.

Ladrillo is brick; it also means a bar, as in a bar or cake of chocolate, *ladrillo de chocolate.*

NOTAS INFORMATIVAS

La Casa de la Libertad es un lugar bajo la dirección del Departamento de Salud, Educación y Bienestar de los Estados Unidos. Cuando los refugiados de Cuba llegan a Miami, son conducidos allí. Permanecen hasta que sean trasladados a sus familiares en otras partes del país. Si son enviados a un lugar frío, se les proporciona ropa abrigada.

Un refugiado es una persona que deja su país y va a otro cuando hay dificultades políticas en el suyo.

Un *bohío* es una casita o cabaña con techo de guano u hojas de palma tejidas. En algunas partes de la america latina estas casas se llaman *chozas.*

Greetings quiere decir felicidades, también indica suceso o buen provecho.

Brick es ladrillo, (pero no se usa esa palabra como en espanñol.) En español se puede decir un ladrillo de chocolate. En inglés se dice un *bar of chocolate.*

About the Author

MARIANA PRIETO is an American whose education and background have made her as fluent in Spanish as in English. Born in Cincinnati, Ohio, she received her early education in Cuba, where she soon concocted a dual language vocabulary that served to make her understood by all those around her.

Mrs. Prieto has written numerous articles and stories which have been published in both English and Spanish. She is currently teaching a creative writing class in the Adult Education Program of Miami Senior High School.

About the Illustrator

CATHERINE HANLEY was born and educated in Pennsylvania. She studied art in Philadelphia for four years. Mrs. Hanley and her husband currently live in New York City. *Johnny Lost* is the third book which she has illustrated.